Une brave petite sorcière

Alison McGHEE   Harry BLISS

Texte français de Cécile Gagnon

Éditions
SCHOLASTIC

Catalogage avant publication de Bibliothèque et Archives Canada

McGhee, Alison, 1960-
Une brave petite sorcière / Alison McGhee ; illustrations de Harry Bliss ;
texte français de Cécile Gagnon.

Traduction de: A very brave witch.
Niveau d'intérêt selon l'âge: Pour enfants de 4 à 8 ans.

ISBN 978-0-545-98837-7

I. Gagnon, Cécile, 1938- II. Bliss, Harry, 1964- III. Titre.

PZ23.M3297Br 2008   j813'.54   C2008-904546-7

Les illustrations de ce livre ont été réalisées à l'encre noire et à la gouache
sur du papier pour aquarelle Arches 90 lb.

Conception graphique : Einav Aviram

Édition publiée par les Éditions Scholastic, 604, rue King Ouest, Toronto (Ontario) M5V 1E1,
avec la permission de Simon & Schuster Books for Young Readers.

5 4 3 2 1   Imprimé au Canada   08 09 10 11 12

À Holly McGhee – A. M.
Pour Charley et Ben Bliss – H. B.

La plupart des humains ne portent pas de chapeaux pointus.

Les humains ne savent pas ricaner.

HA, HA, HA, HA!

Rien de bien effrayant sauf, peut-être... la peau verte.